Le secret de l'abbaye

Pour Antonin.
D. Dufresne

Pour Manu et Joachim, son petit écuyer de poche.
D. Balicevic

Les mots du texte suivis du signe * sont expliqués
sur le rabat de couverture.

www.editions.flammarion.com

© Flammarion pour le texte et l'illustration, 2008
© Flammarion pour la présente édition, 2010
87, quai Panhard-et-Levassor –75647 Paris Cedex 13
Dépôt légal : septembre 2008 – ISBN : 978-2-0812-0743-1- N° d'édition : L.01EJEN000175.C006
Loi n°49-956 du 16 juillet 1949 sur les publications destinées à la jeunesse

Didier Dufresne   Didier Balicevic

Le secret
de l'abbaye

Castor Poche

Chapitre 1

Fini de jouer !

Comme il fait bon vivre au château de Malecombe ! Le comte Aldebert de la Bretelle-Demonsac et sa femme Isolde cueillent des pommes pendant que leurs enfants jouent dans le pré.

– Vous pourriez peut-être nous aider, les enfants ! dit le comte.

– Vous serez contents de trouver des pommes à manger cet hiver, ajoute dame Isolde.

C'est vrai qu'on n'est pas très riche dans la famille de la Bretelle-Demonsac. À Malecombe, on mange plus souvent des pommes blettes que du paon rôti ! Le château tombe en ruine, et le comte n'a jamais plus d'un écu dans sa bourse.

– Ne dites-vous pas qu'il faut savoir s'amuser quand c'est le moment, père ? s'écrie Guillaume en faisant une galipette.

– Et c'est le moment ! ajoute Flora en sautant sur son frère.

– Laisse-les jouer, va, dit dame Isolde.

– Soit, répond Messire Aldebert. Mais les amusements n'auront qu'un temps !

Pendant le repas du soir, alors que Guillaume et Flora s'apprêtent à engloutir leur soupe de fèves*, Messire Aldebert se lève et tape sur son gobelet avec son couteau :

– Écoutez-moi ! s'écrie-t-il. J'ai quelque chose à vous dire…

Guillaume et Flora s'arrêtent net, les yeux écarquillés*. Quand leur père fait un discours, c'est forcément qu'un événement important se prépare.

– Tu as grandi, mon fils, poursuit Messire Aldebert en s'adressant à Guillaume. Il est temps pour toi d'apprendre à lire. Aussi ai-je décidé de t'envoyer à l'école de l'abbaye de la Roche-qui-Tourne.

Guillaume lâche sa cuillère qui retombe dans la soupe. Flora éclate de rire en voyant la tête de son frère, et dame Isolde cache son sourire derrière sa serviette.

– Mais…, balbutie Guillaume. Je n'ai pas besoin de savoir lire. Pour quoi faire ?

– Suffit, mon fils ! ajoute le comte. Tu as passé assez de temps à battre la campagne* et à jouer comme un enfant. Il est temps pour toi de devenir un homme instruit.

– Ha ha ha ! ricane Flora. Nous les filles, on ne va pas à l'école !
– C'est pour cela que tu vas apprendre la broderie, la couture et la musique avec moi, lui répond sa mère.

Flora se met à bouder et c'est au tour de Guillaume de se moquer de sa sœur.

Le départ pour l'abbaye est fixé au lendemain matin. Dans sa chambre, Guillaume prépare ses affaires tout en marmonnant :

– Apprendre à lire… Non mais quelle idée !

Il glisse dans son sac son épée de bois et son petit casque noir.

– Ça peut toujours servir, se dit-il.

Puis il se couche, sans trouver le sommeil. Dans sa tête trottent des images inquiétantes de l'abbaye de la Roche-qui-Tourne.

Le comte de la Bretelle-Demonsac a décidé d'envoyer son fils apprendre à lire à l'abbaye de la Roche-qui-Tourne.

Chapitre 2

Une mauvaise surprise

Son maigre baluchon sur l'épaule, Guillaume s'engage sur le chemin qui mène à l'abbaye. Plusieurs fois, il se retourne pour faire de grands signes de la main à ses parents et à sa sœur.

– Qu'est-ce qui peut bien m'attendre là-bas ? soupire-t-il en s'enfonçant dans la forêt de Sautegrenouille. J'étais si bien dans mon château !

Bientôt, il traverse des champs cultivés où s'activent des moines. C'est le domaine de l'abbaye qui commence. Au loin, il aperçoit les murs sombres de la Roche-qui-Tourne et le toit pointu de sa chapelle.

– Cette fois, je suis bon pour le parchemin et la plume d'oie ! soupire Guillaume en se dirigeant vers le porche d'entrée.

La cour de l'abbaye résonne de chants et de prières. Partout, des moines s'affairent, s'occupant des bêtes, rentrant les récoltes ou roulant des tonneaux. Guillaume s'approche de l'un d'eux et lui demande :

– Messire, je cherche l'école.

– Je suis le père Alcide, lui répond le moine, et tu dois m'appeler « mon père ».

– Mille excuses, messire… je veux dire « mon père »…, bafouille Guillaume.

– L'école du père Anselme est là-bas, ajoute le moine en montrant un bâtiment au fond de la cour.

Guillaume pousse la porte de l'école.
– Je suis Guillaume de la Bretelle-Demonsac, dit-il timidement.
– Sois le bienvenu, mon fils ! gronde une voix peu aimable. Je t'attendais.

Guillaume fait quelques pas dans la pièce. Une demi-douzaine de garçons, assis sur des bancs, le dévisagent. Un moine au visage sévère lui fait signe d'avancer. Il tient à la main une longue baguette de bois et son regard a de quoi faire trembler les plus courageux.

– Assieds-toi ! ordonne-t-il. Je suis le père Anselme et je dois apprendre à lire à cette bande d'ignorants.

Guillaume avise une place libre et s'assoit près d'un grand gaillard qui lui tourne le dos.

À peine est-il installé que celui-ci murmure en se retournant vers lui :

– Mais c'est mon ami de la Ceinture-Demonfroc ! Comme on se retrouve !

Guillaume ne peut retenir un cri de surprise. Adhémar ! Adhémar de Tristelande, le fils de leur voisin le duc, son pire ennemi ! Il est anéanti*. L'école, il aurait pu la supporter, mais avec Adhémar, c'en est trop !

– Je vais t'en faire baver ! chuchote Adhémar avec un mauvais sourire.

Le père Anselme reprend sa leçon sans plus s'occuper de Guillaume. Pendant qu'il montre des lettres au tableau, Adhémar en profite pour éclabousser d'encre le pauvre Guillaume qui s'écrie malgré lui :

– Sacrebleu !

Le père Anselme fait volte-face et désigne Guillaume d'un doigt vengeur.

– Ah ! On est une forte tête ! hurle-t-il. Au coin, et les mains sur la tête !

Au fond de la classe, le dos tourné et les mains croisées sur le sommet du crâne, Guillaume rumine des pensées sinistres.

– Maudit Adhémar, marmonne-t-il. C'est un vrai cauchemar !

À l'école de l'abbaye Guillaume a retrouvé Adhémar, son pire ennemi. Déjà, il a été puni à cause de lui.

Chapitre 3

Vol à l'abbaye

Tous les jours, Guillaume doit maintenant supporter les méchancetés d'Adhémar. Le terrible fils du duc de Tristelande ne sait plus quoi inventer pour lui empoisonner la vie.

Il lui vole ses affaires, décore de taches son parchemin, cache sa plume d'oie, lui fait des croche-pieds… Quant au père Anselme, il a pris Guillaume en grippe et n'en finit pas de le punir.

– Aïe ! s'écrie soudain Guillaume quand Adhémar lui pince la fesse pendant la lecture.

– Encore vous, de la Bretelle ! gronde le père Anselme. Vous avez donc le diable dans la peau !

– Mais, je…, tente de se défendre Guillaume.

– Taisez-vous ! hurle le moine.

Au même instant, le père supérieur entre dans la classe. Les élèves se lèvent.

– On a volé l'argent qui était destiné aux pauvres ! s'écrie-t-il. Le coupable est peut-être parmi ces coquins.

– Est-ce l'un d'entre vous qui a commis ce crime ? demande le père Anselme en brandissant sa baguette.

Tous les élèves se regardent, puis baissent les yeux en faisant « non » de la tête.

– Quelqu'un a-t-il vu ou entendu quelque chose ? demande alors le père supérieur.

Adhémar lève la main et affirme :
– J'ai vu un garçon entrer dans votre cellule et en sortir avec un sac.

Le père supérieur gronde :
– L'avez-vous reconnu ?

Adhémar désigne Guillaume :
– C'est lui ! s'écrie-t-il.

Tous les regards se tournent vers Guillaume qui devient aussi rouge qu'une crête de coq.

– Ce n'est pas moi, je vous le jure ! se défend-il. Adhémar est un menteur.

Adhémar prend un air offensé et minaude :

– Moi, menteur ? Mais je ne fais que dire ce que j'ai vu !

Le père supérieur traverse la salle de classe et s'arrête devant Guillaume.

– Suis-moi ! ordonne-t-il en l'attrapant par l'oreille.

Dans sa cellule, le père supérieur interroge Guillaume. Le pauvre a beau se défendre, celui-ci ne le croit pas.

– Puisque tu ne veux pas avouer ta faute, gronde le père supérieur, tu passeras la nuit dans la forêt, près de la Roche-qui-Tourne. Une bonne nuit de prière devrait te faire réfléchir. Demain, nous verrons bien si tu t'obstines toujours à mentir. Allez, va !

La tête basse, Guillaume se retrouve dans la cour.

– Pauvre de moi ! frémit-il. Passer la nuit seul dans les bois, quelle horreur ! Et tout ça à cause de cet Adhémar de malheur !

Mais on ne désobéit pas au père supérieur. Au coucher du soleil, Guillaume se rend à pas lents vers la Roche-qui-Tourne. Le pauvre n'a pour se défendre que son casque et sa petite épée de bois.

Guillaume a été accusé de vol par Adhémar. Le père supérieur l'a condamné à passer la nuit seul dans la forêt.

Chapitre 4

Une roche bien mystérieuse

Le clair de lune éclaire la Roche-qui-Tourne. La légende dit qu'elle serait magique, et Guillaume n'ose pas trop s'en approcher. Il examine les alentours avec inquiétude.

– Je vais m'asseoir ici et y rester jusqu'au matin, se dit-il. Je suis innocent et, demain, on finira bien par me croire.

Le derrière sur la mousse et l'épée de bois à la main, Guillaume attend donc le jour en sursautant au moindre bruit.

La nuit est longue… Guillaume a les paupières lourdes. Il finit par s'endormir… Il rêve que tous les moines le montrent du doigt en criant : « Voleur ! Voleur ! » et qu'Adhémar, en costume de diable, le menace de sa fourche.

Mais voilà que soudain, un bruit le réveille… On marche dans le bois !

Guillaume se relève, caché derrière un arbre. Le bruit de pas se rapproche et bientôt, une silhouette portant une lanterne se découpe dans la lumière de la lune.

– Qui cela peut-il bien être ? se demande Guillaume, pas rassuré du tout.

L'inconnu lui tourne le dos et se dirige vers la Roche-qui-Tourne. Il pose la main sur la roche qui se met à pivoter avec un grincement sinistre. L'inconnu disparaît alors à l'intérieur de la roche.

–Nom d'une oubliette ! murmure Guillaume stupéfait. C'est incroyable !

Guillaume ne sait que faire. Il pense d'abord à se sauver, mais le mystère est trop tentant. Malgré sa peur, il décide de pénétrer lui aussi dans la roche magique.

Son épée à la main, Guillaume s'approche de la roche. Elle a bougé et laisse apparaître un couloir éclairé par des torches.

– Il est trop tard pour reculer, pense Guillaume en avalant sa salive. J'y vais !

Il avance dans le couloir qui s'enfonce sous la terre.

Bientôt, il arrive dans une grande salle. L'inconnu est là, penché sur un coffre ouvert.

– Je suis riche ! ricane-t-il en vidant un sac d'écus dans le coffre. L'argent n'est pas fait pour les pauvres, ha ha ha !

– Cette voix ! se dit Guillaume. Je connais cette voix !

Aussitôt, il se précipite, pousse l'inconnu dans le coffre et referme le couvercle à clef.

– Espèce de voleur ! s'écrie Guillaume. Je vais prévenir le père supérieur.

À l'intérieur du coffre, une voix étouffée crie :

– Pitié ! Pitié !

Mais Guillaume a déjà tourné les talons et trottine vers l'abbaye.

Guillaume a réussi à enfermer le voleur dans un coffre.
Il retourne prévenir le père supérieur.

Chapitre 5

Le retour de Petit-Chevalier-Noir

Guillaume se hâte vers l'abbaye. Il aperçoit au loin quelqu'un qui avance vers lui.

– Ho ho ! se dit-il. Il y a bien du monde dans cette forêt la nuit.

Alors il se cache derrière un buisson et attend.

Celui qui vient a de quoi faire peur : c'est le diable en personne ! Un diable qui parle tout seul !

– Il va avoir une de ces frousses, de la Cassette-Demonfric, ricane le démon. Je vais lui coller une pétoche dont il se souviendra longtemps !

Derrière le buisson, Guillaume bout de rage :

– Adhémar ! C'est encore ce gredin d'Adhémar ! Ah, il veut me coller la pétoche ! Il va voir…

Sous le clair de lune, Adhémar avance en sifflotant, tout heureux de la bonne farce qu'il réserve à son ennemi. Soudain, une créature casquée de noir et armée d'une épée de bois se dresse devant lui.

– Je suis Petit-Chevalier-Noir ! s'écrie-t-elle. Défends-toi, diable de mes fesses !

Adhémar fait un pas en arrière et blêmit de peur. Mais bien vite, il se ressaisit, brandit sa fourche et gronde :
– En garde !

Pauvre Adhémar ! Petit-Chevalier-Noir est bien plus adroit que lui ! Il esquive tous les coups. Adhémar trépigne de rage :
– Je vais te transpercer ! hurle-t-il en fonçant sur lui.

Hop ! un petit pas à gauche et Petit-Chevalier-Noir évite l'attaque. Adhémar trébuche, pousse un grand cri… et termine sa course dans la mare aux sangliers.

– Adieu, diablotin boueux ! s'écrie Petit-Chevalier-Noir en trottant vers l'abbaye.

Dans la cour de l'abbaye, les moines ont rassemblé tous les élèves.

– Je te dois des excuses, Guillaume, dit le père supérieur. C'était le père Anselme le voleur et, grâce à ton courage, nous l'avons démasqué. Il sera chassé de l'abbaye...

Soudain, un diable couvert de boue fait son entrée dans la cour.

– J'ai été attaqué par Petit-Chevalier-Noir ! hurle-t-il en s'approchant.

– Adhémar ! Mais où étiez-vous passé ? demande le père supérieur.

Adhémar désigne Guillaume :

– C'est lui ! C'est Petit-Chevalier-Noir ! Il a voulu m'assommer.

– Moi, Petit-Chevalier-Noir ! s'indigne Guillaume. Allez-vous croire encore ce menteur ?

Le père supérieur prend un air sévère et s'écrie :

– Adhémar, vous mentez encore. Filez vous laver ! Et quand vous aurez fini, allez donc dans la classe recopier un ou deux manuscrits !

Puis il ajoute :

– Que veux-tu pour ta récompense, Guillaume ?

Guillaume s'approche et lui parle à l'oreille. Le père supérieur sourit et réplique :

– C'est d'accord !

Le lendemain matin, Guillaume arrive au château de Malecombe. Le comte est très étonné de voir revenir son fils.

– On t'a déjà chassé de l'école ? lui demande-t-il. Ou bien tu t'es sauvé ?

– Non, père, répond Guillaume. J'ai ici une lettre du père supérieur. Il a écrit que j'avais besoin de vacances. De grandes vacances !

Et Guillaume tend la lettre à son père qui la met dans sa poche.

– Vous ne la lisez pas, père ? demande Guillaume.

Le comte Aldebert devient aussi rouge qu'une fraise des bois.

– C'est que…, bredouille-t-il. C'est que… je ne sais pas lire !

❶ L'auteur

Didier Dufresne

« Avant d'écrire des histoires, j'ai longtemps été instituteur. Pas dans une abbaye, non, mais dans une toute petite école de campagne. C'est peut-être pour ça que j'ai décidé d'envoyer Guillaume apprendre à lire. Il faut dire que l'école et la lecture ont toujours été mes grandes passions. J'ai même écrit un livre documentaire qui raconte l'histoire de l'école*, c'est vous dire !

Pour écrire les aventures de mon petit chevalier, j'ai besoin de me plonger dans la lecture de vieux livres d'histoire. Des livres d'école dont j'ai toute une collection.

Et si un jour vous passez près de chez moi, en Bourgogne, vous pourrez visiter l'abbaye de la "Pierre-qui-Vire". C'est en pensant à cet endroit que j'ai inventé l'abbaye de la "Roche-qui-Tourne". »

* *Une histoire d'école*, Castor Doc Flammarion

❷ L'illustrateur

Didier Balicevic

« J'adore dessiner donjons, créneaux, hourds, échauguettes et oubliettes. J'adore me balader par monts et par vaux, dans les bois humides et moussus, visiter les vieilles églises et les chapelles oubliées.

J'ai fait mes études à Strasbourg, ville de vieilles pierres et de maisons à colombages, alors bien sûr, les aventures médiévales de Guillaume, c'est pain bénit. Guillaume nous donne l'exemple avec bonne humeur : malin et courageux à la fois, on peut se sortir de tous les mauvais pas ! Mais je suis tout de même bien content de vivre au XXIe siècle et pas au Moyen Âge : on y prend plus de bains, et on n'est plus obligé de dessiner avec une plume ! Pauvre oie ! »

Table des matières

Achevé d'imprimer en août 2014,
chez Pollina (France) - L69376.